12.95 ⊗

Gofrette

Frousse et chocolat chaud

À notre belle sœur Murielle

Direction éditoriale
Caroline Fortin

Traduction
Michèle Marineau

Conception graphique
Anne Tremblay

Mise en pages
André Lambert
Lucie Mc Brearty

Révision
Diane Martin

Données de catalogage avant publication (Canada)
Brasset, Doris
[Hot chocolate moose. Français]
Frousse et chocolat chaud
Traduction de : Hot chocolate moose.
Pour enfants d'âge préscolaire.

ISBN 2-7644-0009-8

1. Michot, Fabienne. II. Marineau Michèle. III. Titre. IV. Titre : Hot chocolate moose. Français.
V. Collection : Brasset, Doris. Gofrette.

PS8553.R315H6714 1999   jC813'.54   C99-941197-7
PS9553.R315H6714 1999
PZ23.B72Fr 1999

Les Éditions Québec Amérique inc.,
329, rue de la Commune Ouest, 3e étage,
Montréal (Québec) H2Y 2E1 Canada
T 514.499.3000 F 514.499.3010
www.quebec-amerique.com

Imprimé et relié au Canada.

10 9 8 7 6 5 4 3 2 1   02 01 00 99

Canadä

Nous reconnaissons l'aide financière du gouvernement du Canada par l'entremise du Programme d'aide au développement de l'industrie de l'édition (PADIÉ) pour nos activités d'édition.

SODEC
Québec ::

Les Éditions Québec Amérique remercient également la SODEC pour son appui financier.

Le Conseil des Arts | The Canada Council
du Canada | for the Arts

Les Éditions Québec Amérique bénéficient du programme de subvention globale du Conseil des Arts du Canada.

Gofrette

Frousse et chocolat chaud

Doris Brasset et Fabienne Michot

QUÉBEC AMÉRIQUE

Gofrette et Longues-Oreilles lisent au coin du feu. Dehors, de gros flocons de neige couvrent le pays de Zanimo d'une épaisse fourrure blanche.

Avec de la neige, on peut faire des châteaux et des balles
de neige, des garçons et des filles de neige, des chats
et des chiens de neige. Et surtout, surtout, on peut **SKIER !**

– Bonjour, Bleu. C'est Gofrette. Qu'est-ce que
tu dirais d'aller skier, demain ?

– Excellente idée ! Je connais l'endroit idéal…
Je vais passer te prendre à 9 heures.
À demain matin.

-Quel fouillis dans ce placard !
Mais où est donc passé mon deuxième ski ?
se demande Gofrette.

Le lendemain matin, les oiseaux gazouillent,
les lapins gambadent et Gofrette guette
avec impatience l'arrivée de Bleu.

– Mon beau pingouin, roi des collines…, chante Gofrette en voyant des pingouins glisser, skier et filer sur les pentes. Il a hâte d'en faire autant.

Aussitôt arrivé, Gofrette saute sur ses skis.

– Je suis prêt. Par où allons-nous ?

Bleu tend le bras vers l'un des nombreux sentiers.

– Par là, dit-il.

– Suis-moi, je connais le chemin ! dit Bleu en s'éloignant dans le sentier.
Les montagnes sont hautes, les vallées profondes,

le ciel immense et bleu, la neige très abondante…
– Allez, Gofrette ! Grouille-toi un peu ! lui crie Bleu.

Bleu descend une pente raide. Ses oreilles battent au vent comme des ailes. Derrière lui, Gofrette glisse de plus en plus vite, de plus en plus v…

– **WAAA… OUH !** hurle Gofrette. **ENLÈVE-TOI DE LÀ, BLEU !!! JE NE PEUX PAAAAS…**

BOUM.

– **… M'ARRÊTER !**… Désolé…

Après avoir récupéré leurs esprits et tous leurs morceaux,
les deux amis poursuivent leur chemin.

Ce n'est pas un petit accrochage qui va gâcher
leur journée.

– Je n'en peux plus, Bleu, dit Gofrette. Rentrons avant qu'il fasse noir.

– Le chalet est par là, répond Bleu en tendant le bras vers la droite.

Gofrette a des doutes. Selon lui, le droit chemin serait plutôt à gauche.

– Non, Bleu. Il est par là, dit-il en pointant son bâton vers la gauche.

Comme Bleu a souvent raison, les deux amis suivent le sentier de droite. Le soleil disparaît rapidement et la neige commence à tomber.

Cahin-caha, suant et soufflant, ils espèrent atteindre le chalet avant la nuit noire.
Cahin-caha, suant et soufflant… jusqu'à ce qu'ils arrivent au bout de la piste.

– JE LE SAVAIS ! NOUS SOMMES PERDUS !
hurle Gofrette.

– Et si nous passions la nuit dans cet igloo…,
suggère Bleu.

Soudain, un énorme ours brun surgit devant eux.
Il se lèche les babines en salivant.

– Nous sommes dans son réfrigérateur ! crie
Gofrette avec horreur.

GRRRRR !!!

Ce monstre a vraiment l'intention de les manger.
Il vient de dévorer un petit pingouin juteux et
il se dit qu'un chat bien gras et un chien bleu
feront un dessert parfait.

– **SAUVE QUI PEUT !** hurle Bleu en détalant
à toutes pattes.

Terrifiés, Bleu et Gofrette courent à perdre
haleine. Ils sèment le gros méchant ours…
et foncent la tête la première… **PAF !**…
dans un mur de fourrure rouge !

– Ça va ? demande le mur d'une voix grave.

– NON ! ÇA NE VA PAS !
gémissent les deux amis, à moitié assommés.
Nous voulons rentrer chez nous !

Le mur s'appelle Monsieur Moose, il est spécialiste
du sauvetage des chats et des chiens perdus.
Il pose doucement Bleu et Gofrette sur son dos
puissant avant de les amener chez lui.

On est bien, dans la cabane de Monsieur Moose,
et une merveilleuse odeur de biscuits et de
chocolat chaud flotte dans l'air. Gofrette se sent
déjà mieux. Monsieur Moose lui rappelle Rouge,
le réfrigérateur…

– Demain matin, dit Monsieur Moose, mes amis de la forêt vont vous ramener au chalet.

Bleu et Gofrette sont tellement épuisés qu'ils s'endorment en posant la tête sur l'oreiller.

Le lendemain matin, Monsieur Moose fait venir tous ses amis.

– Le traîneau de ces messieurs est arrivé…, dit Monsieur Moose. Et souvenez-vous que vous êtes toujours les bienvenus chez moi.

Monsieur Moose, garde forestier

En arrivant au chalet, Bleu et Gofrette se disent que
ça valait la peine d'avoir une telle frousse,
puisqu'elle leur a permis de découvrir
Monsieur Moose… et son délicieux
chocolat chaud.

DATE DUE		
MAY 20	FEB 04	
JUL 14		
AUG 11		
SEP 16		
OCT 07		
NOV 18		
DEC 09		
DEC 23		